獅子燙頭髮

獅子燙頭髮

文／孫晴峰
圖／龐雅文

總編輯／郝廣才
責任編輯／歐佳慧
美術編輯／李燕玉

出版發行／格林文化事業股份有限公司
地址／台北市新生南路二段20號6F
電話／(02)2351-7251　傳眞／(02)2351-7244
網址／www.grimmpress.com.tw

讀者服務中心／書虫俱樂部
讀者服務專線／(02)2500-7718～9　24小時傳眞服務／(02)2500-1990～1
郵撥帳號／19863813 書虫股份有限公司
網址／www.readingclub.com.tw
讀者服務信箱E-mail／service@readingclub.com.tw

香港發行所／城邦（香港）出版集團
地址／香港灣仔軒尼詩道 235 號 3 樓
電話／852-25086231　傳眞／852-25789337
E-Mail／hkcite@biznetvigator.com
馬新發行所／城邦（馬新）出版集團 Cite (M) Sdn. Bhd. (458372 U)
地址／11, Jalan 30D/146, Desa Tasik, Sungai Besi, 57000 Kuala Lumpur,Malaysia
電話／603-90563833　傳眞／603-90562833 E-Mail／citecite@streamyx.com

ISBN／957-745-756-8
2005年2月初版1刷　2006年9月4刷
定價／250元

文 孫晴峰　圖 龐雅文

獅子燙頭髮

格林文化

www.grimmpress.com.tw

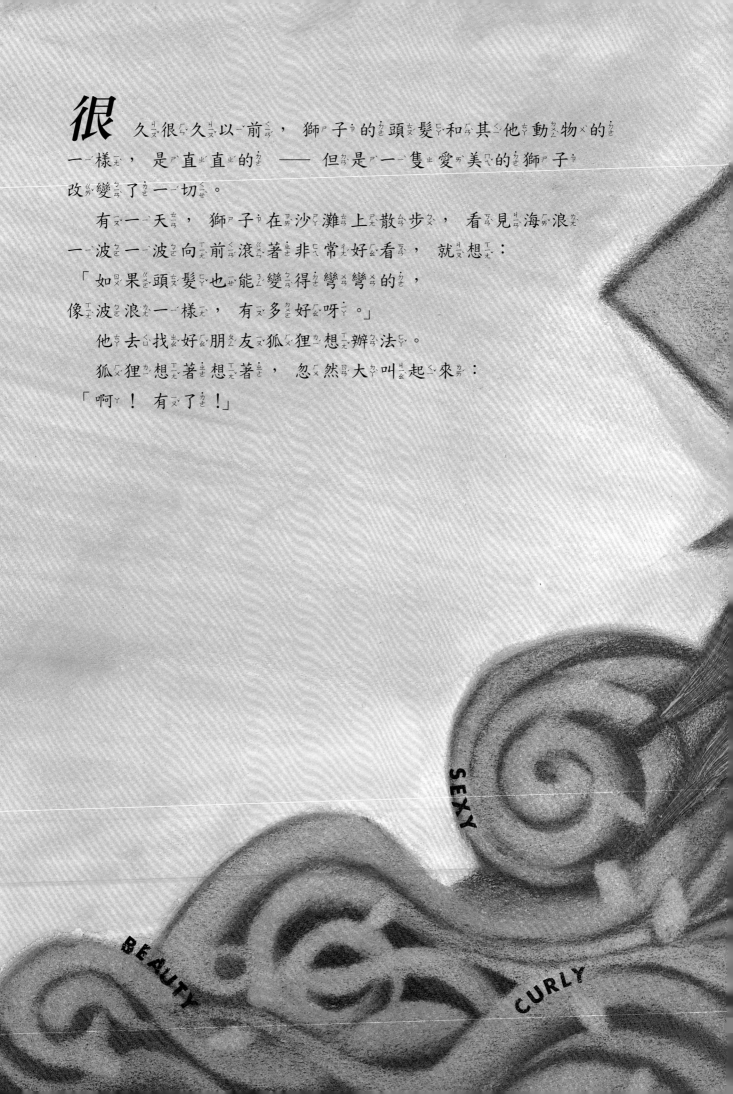

很久很久以前，獅子的頭髮和其他動物的一樣，是直直的 —— 但是一隻愛美的獅子改變了一切。

有一天，獅子在沙灘上散步，看見海浪一波一波向前滾著非常好看，就想：「如果頭髮也能變得彎彎的，像波浪一樣，有多好呀。」

他去找好朋友狐狸想辦法。

狐狸想著想著，忽然大叫起來：「啊！有了！」

SEXY

BEAUTY

CURLY

獅子疊聲問道：「什麼？什麼？」

狐狸說：「你想，海在什麼時候會起好看的浪？」

獅子思索一會兒，說：「有風的時候。」

「對啦！」狐狸興高采烈的說：「那我們也來製造一陣大風，不就成了嗎？」

於是狐狸邀集了許多動物，大夥圍成半個圓圈，獅子滿面笑容的坐在對面。

狐狸對大家說：「我喊一、二、三，吹，你們就用力吹，知道嗎？」

「知道！」大夥齊聲答應。

「一、二、三，吹！」

呼……

哇，好大的風呀，四周的樹紛紛掉下葉子來。
只見獅子的頭髮一陣飄動，等風停止了
卻又回到原樣。

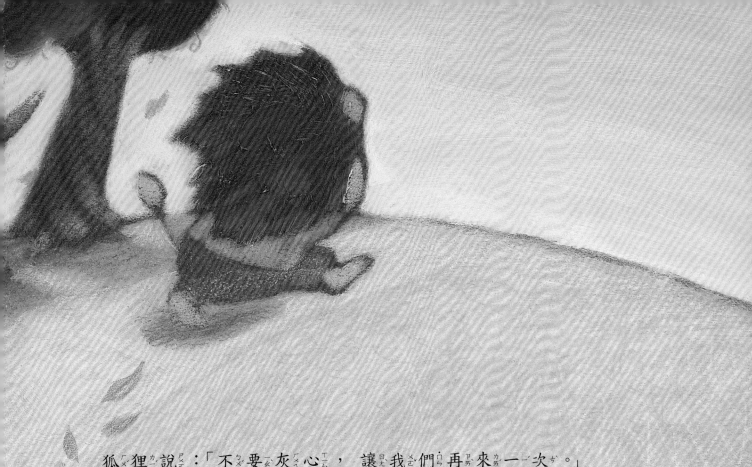

狐狸說：「不要灰心，讓我們再來一次。」

呼……

又是一陣大風，葉子飄呀飄的都快落光了。

等風停了，獅子的頭髮也停止飄動，直直的披下來，把眼睛都遮住了。

大夥看見獅子的模樣都大笑起來。

獅子紅著臉一溜煙跑走了，連頭髮都忘了梳。

狐狸感到很慚愧，就更努力的想辦法。

這一天，天空原本是藍澄澄的，忽然下起雨來。

狐狸從洞裡探出頭來透透氣，看見小狐狸在玩水呢。他剛要叫他們回來，忽然注意到當雨點落在水坑裡的時候，水面上就漾成一圈一圈的漣漪。

「啊，是了！」狐狸想像獅子的頭髮也變成漣漪那個樣子。他立刻興奮的跑去找獅子。

狐狸帶著獅子來到池塘邊，指著漣漪問他：「你想不想讓頭髮也變得這樣一圈一圈的？」

「想呀想呀想呀！」獅子疊聲說著。

狐狸說：「那簡單，就坐在這兒淋雨吧。」

獅子乖乖的坐在地上讓雨淋著。

剛開始還好，過了不久獅子
就不停的打起噴嚏來。

狐狸起先還覺得無所謂，後來
看見獅子渾身發抖，才曉得
大事不好，連忙扶著他回家。

這一天，狐狸回到家，看見狐狸太太在做孩子們愛吃的花生捲餅。

狐狸拿起一個吃著，說：「真好吃，你是怎麼做的？」

狐狸太太說：「來，我做給你看！」她在切成一塊塊的麵餅上灑上糖、花生粉，再捲起來。

狐狸看著有趣，也幫她做了起來。

全都做好了，狐狸太太拿起一塊大石板架在火堆上，把捲餅一個一個擱在上頭烤。「烤的時候捲餅會不會鬆開，又變成扁扁的一片呢？」狐狸好奇的問。

「當然不會囉。」狐狸太太回答。

狐狸靈機一動。

「是了，如果把獅子的頭髮捲起來，也像這樣烤一烤，不也就捲成彎彎的了嗎？」

他好興奮，想立刻跑去告訴獅子，可是又停下腳步：「不，我已經失敗兩次了，這回可得計畫清楚才成！」

「首先，要用什麼來捲呢？」他想來想去想不出，就到外面散散步。他看見一叢玉米，個個結著玉米棒，便想著：「太好了！就用這個捲。」

他快速的摘下了三十多個玉米棒，一邊摘，一邊想：
「下一步是捲頭髮，這倒還容易，最後要烤，這可怎麼辦呢？
總不能把獅子的頭放在火堆上吧？」

狐狸終於想出辦法。

他找到獅子，把自己的計畫告訴他。

「但是，」狐狸說，「這件事不能光靠我們，還得天公作美才成。」

接下來的幾天，狐狸變得很古怪，一看見紅艷艷的太陽、藍澄澄的天空就嘆氣。他整天待在家裡不出去，指揮著小狐狸們用竹條和紙做了一個好大的風箏，風箏上面插了條鐵片，風箏下面還綴著好些細線。

這一天， 太陽看不見臉， 天陰陰的， 雲好厚，
像是隨時要下雨。 狐狸興奮的跑到獅子家，
嚷道：「快！ 時候到了！」便拉著獅子跑到空地。
狐狸拿出玉米棒， 把獅子的頭髮一束束捲上去，
再把風箏下面的一根根細線綁在上面。 動物們
都圍攏過來看。

　　雲越來越黑， 也越來越厚重， 狐狸看時候
到了， 就說：「請各位幫忙我把風箏放起來！」
大家立刻熱心的過來幫忙。

　　啊！ 這是一幅多麼奇特的畫面呀！

一個風箏在天上飛，下面拖了好長的線連著獅子的頭髮。大家還沒來得及笑，忽然青光一閃，只見風箏上的鐵片接著閃電發出紅光，然後沿著線傳到玉米棒上，接著是劈劈啪啪的爆炸聲……

玉米都爆成玉米花啦！

等一陣閃電過去，獅子已經被埋在一座玉米花堆下了。

大家立刻趕過去，把獅子拉出來，把玉米花從他身上拍落。狐狸把第一個玉米棒從獅子的頭髮上拆下來時，獅子緊張的閉著眼睛不敢看。終於聽見狐狸嚷著：

「成功了，成功了！」

獅子忙睜眼一看，可不是嗎，頭髮已成了彎彎的捲髮了。

動物都歡呼起來，忙著幫狐狸剪線、拆玉米棒，當全部的棒子都拆下來時，獅子已經有了滿頭的捲髮啦！

好心的烏龜駝了一盆水過來給獅子照。獅子看見自己的模樣，真是得意極了。

「有誰在拉我尾巴？」獅子轉身一看，
是小猴子 —— 他的臉和身子都黏滿了玉米花。
他嘟著嘴不高興的說：「你下次別忘記
加鹽好不好？ 淡淡的難吃死了！」

【作者簡介】

孫晴峰，從事兒童文學創作，編輯及評論多年，畢業於台灣大學森林系，

美國雪城大學教育碩士，西蒙斯女子學院兒童文學碩士，

麻州大學傳播學博士，現任教於美國紐約大學。

【為什麼寫這個故事】

這個故事有很長的歷史了。

大學三年級的時候開始寫童詩和童話。我一向對俗常刻板的主題、表現方式及價值觀念都有挑戰的興趣。獅子在童話裡，總是威嚴而強壯的「王者」，狐狸則多狡猾，一肚子壞心眼。我便想「革命」一下，而創造了一隻虛榮、愛美又有些傻氣的獅子，和一隻好心又愛幫忙的狐狸。動物之間無階級關係，牠們幫忙獅子，不是出於「臣服」或「義務」，而是心甘情願。

回想起來，在那個年紀，我的民主政治觀似乎已經定型了。

寫完了故事，我想找人把它畫出來。一天在台大校園看見一張海報，裡頭畫了一隻可愛的小狗，很有童趣。我打聽到畫者，是醫學院一年級很有繪畫底子的陳玉芬，我便冒冒然去找她。

玉芬讀了故事，便答應與我合作。
我們倆因畫際會，成了長久的朋友。
事隔二十多年，今天的玉芬已經是
台北成功的眼科醫生——也許我該
寫個獅子戴隱形眼鏡的故事了。

很高興這個我一直記在心中，
又具特別情誼的故事，能夠在今天，
在龐雅文的筆下，得到新生。

陳玉芬 繪

【繪者簡介】

龐雅文，生於民國六十六年，舊金山藝術學院插畫系畢業。

她的作品風格活潑靈動，色彩溫暖飽和，就像她給人的感覺一樣有趣。
雅文喜歡使用綜合媒材，《獅子燙頭髮》的圖畫，她都以一層水彩、
一層油畫顏料及色鉛筆處理。雅文曾以作品《小狗阿疤想變羊》入選2001年
義大利波隆那國際兒童書插畫展，並獲頒國內漫畫金像獎最佳兒童繪本獎。
她的另一本作品《狐狸孵蛋》獲頒中國時報開卷獎最佳童書。

網址／www.cuteariel.com